Quel ÉLÉPHANT ?

À mon amie Shiraz,
Princesse des éléphants
et Reine des cœurs

Édition publiée par les Éditions Scholastic, 604, rue King Ouest, Toronto (Ontario) M5V 1E1, avec la permission de Kids Can Press Ltd.

5 4 3 2 1 Imprimé et relié en Chine 06 07 08 09

Diverses techniques ont été combinées pour créer les illustrations de ce livre.

Pour le texte, on a utilisé la police de caractères Litterbox.

Conception graphique de Karen Powers.

Catalogage avant publication de Bibliothèque et Archives Canada

Côté, Geneviève, 1964-
[What Elephant? Français]
Quel éléphant? / Geneviève Côté.
Traduction de : What Elephant?
ISBN 0-439-94132-6

1. Éléphants--Romans, nouvelles, etc. pour la jeunesse. I. Titre.

PS8605.O8738W4814 2006 jC813'.6 C2006-901113-3

Quel éléphant?

Écrit et illustré par Geneviève Côté

C'était une belle journée d'été, une journée comme toutes les autres, quand soudain, Georges sortit de chez lui en criant à tue-tête :

— AU SECOURS! AU SECOURS! Il y a un éléphant chez moi!

Les voisins se pressèrent autour de Georges.

— Les éléphants n'entrent pas comme ça chez les gens! gloussa l'un deux en le regardant d'un drôle d'air.

— Mais il y en a pourtant un chez moi! insista Georges. Quand je suis arrivé, il regardait la télé en mangeant mes biscuits au chocolat!

Pip, le meilleur ami de Georges, hocha la tête.

— Les éléphants ne regardent pas la télé et ne mangent pas de biscuits au chocolat! Tu as dû attraper un coup de chaleur, lui dit-il. Peut-être fais-tu un peu de fièvre. Tu devrais retourner chez toi et te reposer.

« Pip a sûrement raison », se dit Georges en s'éloignant lentement.

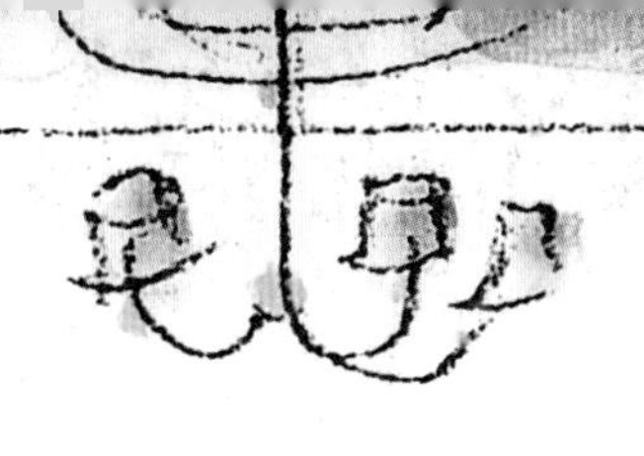

Mais en rentrant chez lui, Georges entendit des ronflements TRÈS sonores qui provenaient de sa chambre.

Un éléphant dormait dans son lit.

Georges décida de s'installer pour la nuit sur le canapé boiteux. (Un éléphant ne devrait JAMAIS s'asseoir sur un canapé.) Comme l'éléphant avait utilisé tous les draps pour se moucher, Georges se blottit sous de vieux journaux.

« Je vais m'endormir, et demain, à mon réveil, tout sera certainement redevenu comme avant », se dit-il en fermant les yeux.

Mais le lendemain matin, quand Georges se réveilla, le canapé flottait au beau milieu du salon, sur une mer d'eau savonneuse.

Georges entendit des clapotis provenant de la salle de bains. SPLISH! SPLASH! L'éléphant était sous la douche.

(Un éléphant ne devrait JAMAIS traîner sous la douche.)

« Ce mauvais rêve va-t-il bientôt finir? »
se demanda Georges en tentant de récupérer
sa précieuse collection de théières en porcelaine.

Georges mit plusieurs heures à éponger toute l'eau. Quand il eut enfin fini, il avait très faim.

Il ouvrit les armoires de cuisine... mais ne trouva que des miettes! Les biscuits, le pain, les bananes, les muffins, la confiture... TOUT avait disparu!

Georges entendit un ROT sonore, provenant de la salle à manger. (Un éléphant ne devrait JAMAIS manger de biscuits au déjeuner.)

« C'est certainement le rêve le plus long et le plus étrange du monde entier », soupira Georges en partant faire les courses.

Quand Georges revint de l'épicerie, les bras chargés de sacs, l'éléphant était toujours là. Assis sur le canapé boiteux de Georges, drapé dans la robe de chambre de Georges, il lisait le journal.

— Impossible. Les éléphants ne savent pas lire, dit Georges tout haut.

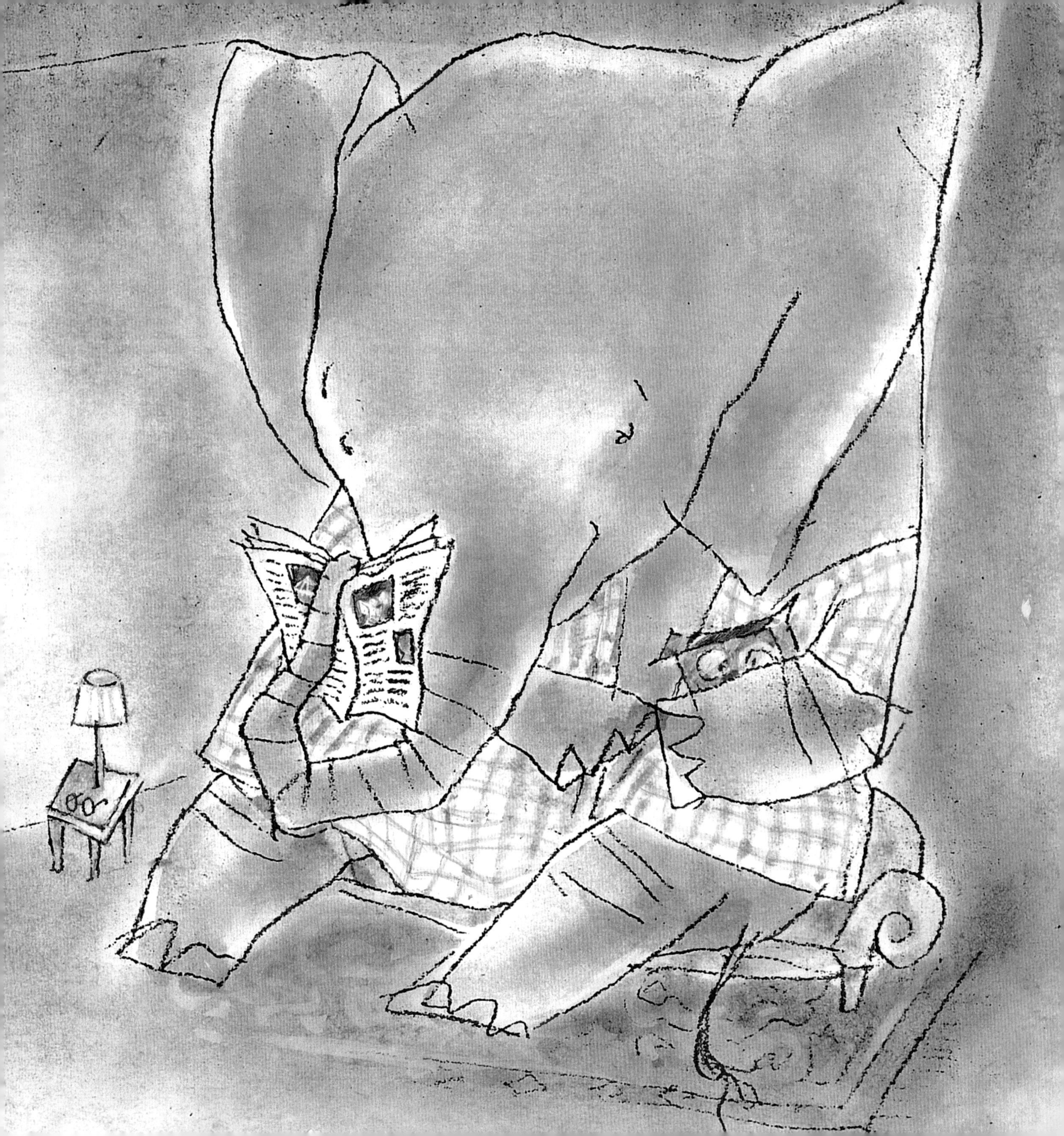

Les jours passaient, et l'éléphant était toujours là. Georges évitait de le regarder. Il restait chez lui du matin au soir, mangeait peu, dormait mal et ne riait plus.

« Je suis peut-être devenu fou », s'inquiétait-il.

Il n'osait plus parler de l'éléphant à qui que ce soit, pas même à Pip.

Au bout d'une longue semaine, Pip, inquiet, vint prendre de ses nouvelles.

— Tu as un drôle d'air, dit-il à Georges. Ne me dis pas que tu vois encore des éléphants partout?

Georges fit semblant de rire.

— Des éléphants? Non, bien sûr que non! Les éléphants n'entrent pas comme ça chez les gens! Ils ne dorment pas dans un lit, ne mangent pas de biscuits au chocolat et ne lisent certainement pas le journal! Non, tu avais raison, j'avais seulement besoin de repos.

Mais quand ils passèrent ensemble au jardin, Pip pâlit soudain.

— Georges, tu... tu es sûr que tu ne vois plus d'éléphants nulle part?

« Il doit se douter que quelque chose ne tourne pas rond chez moi », se dit Georges.

Mais il répondit, avec un sourire nerveux :

— Pas l'ombre de la queue du plus petit éléphant de rien du tout!

« Oh NON! pensa Pip. Alors c'est moi qui suis devenu fou! »

Car il aurait juré qu'un énorme éléphant s'enduisait de crème solaire, en plein milieu du jardin!

Il se sentit si troublé qu'il n'osa même pas se confier à Georges.

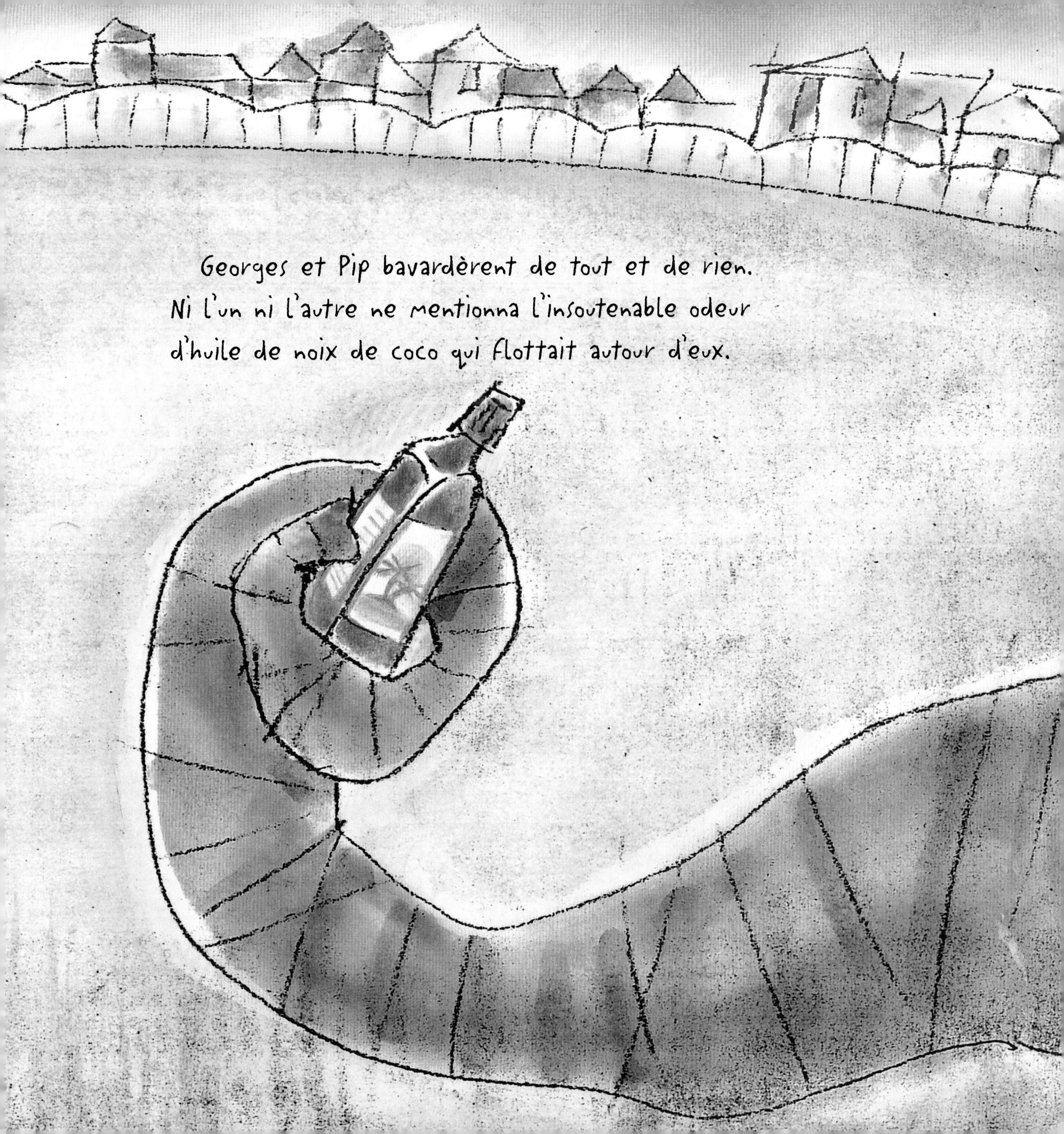

Georges et Pip bavardèrent de tout et de rien. Ni l'un ni l'autre ne mentionna l'insoutenable odeur d'huile de noix de coco qui flottait autour d'eux.

Un peu plus tard, leur amie Magali passa par là. Elle s'arrêta net. Elle aurait juré qu'un éléphant se faisait bronzer dans la plate-bande!

Pourtant, Pip et Georges ne semblaient rien remarquer d'anormal.

« Impossible, se dit Magali, c'est une hallucination! Ce doit être la fièvre, le surmenage, la chaleur... »

Bien décidée à ne pas parler d'éléphants, Magali s'assit à l'ombre, les yeux baissés sur son verre de limonade.

Il faisait si bon ce jour-là que, tour à tour, voisins et amis en profitèrent pour aller voir Georges. Mais aussitôt arrivé, chacun se taisait subitement, frappé par le même terrible doute :

« Je dois être devenu fou, dingue, fêlé, cinglé! »

Car personne d'autre ne semblait remarquer l'énorme éléphant étendu parmi les fleurs...

Soudain, le silence fut interrompu par un cri :

— SHIRAZ! Où étais-tu? Je t'ai cherchée partout!

Un petit homme, le visage rouge de colère, fonça sur Georges.

— Comment avez-vous osé cacher mon éléphante chez vous toute une semaine sans me prévenir, sans me la ramener?

Puis, se tournant vers Shiraz, il la serra dans ses bras.

— Ma petite fleur en sucre, est-ce que tout va bien?

— Je... euh... j'essayais de... bégaya Georges.

— Je... euh... je croyais que... balbutia Pip.

— Je... euh... je ne voulais pas que... marmonna Magali.

Georges et ses amis regardèrent l'éléphante tout près d'eux, et chacun poussa un ÉNORME soupir de soulagement... Aucun d'eux n'était fou, dingue, fêlé ou cinglé! Ils expliquèrent enfin la situation au petit dompteur, qui ne put s'empêcher de rire.

— Pauvre chou, dit-il en embrassant Shiraz sur la trompe, tu as dû te croire invisible, tout à coup!

Puis il se tourna un instant vers la foule pour ajouter :

— Elle s'est enfuie parce que le cirque a recruté une nouvelle star. Shiraz n'aime pas du tout partager la vedette. Mais, mon petit cœur en chocolat, tu sais bien que tu seras toujours ma seule GRANDE star!

Shiraz versa deux grosses larmes, qui coulèrent sur le nez du dompteur. PLIC! PLOC!

Après un dernier verre de limonade et quelques sacs de biscuits, Shiraz et le petit dompteur partirent ensemble vers le soleil couchant. (Un éléphant ne doit JAMAIS partir l'estomac vide.)

Avec quelques rires gênés, la foule se dispersa rapidement, et bientôt, Georges resta seul avec Pip.

— Je suis désolé, Georges, dit Pip, j'aurais dû te croire dès le début.

— Et moi, j'aurais dû insister... commença Georges, avant d'être interrompu par une petite voix très aiguë :

— Pardon messieurs, pourriez-vous m'indiquer la gare la plus proche, s'il vous plaît?

Ce caniche rose, qui traînait avec lui une petite valise rose, avait-il vraiment parlé?

— Pip... Eh! Pip, tu as entendu?

— Euh ... entendu quoi?

CIRQUE